AVENTURES DANS
L'ÉGYPTE
ANCIENNE

Ce livre est dédié à ma fille, Lia Grainger qui, depuis un projet scolaire sur le Sphinx
adore tout ce qui se rapporte à l'Égypte. – L.B.

Pour Phil et Rosemary, dont l'amour des voyages à destination
de contrées exotiques m'a inspiré. – B.S.

Remerciements

Je suis extrêmement redevable à Mme Julie Anderson, Ph. D., du Département des civilisations
du Proche-Orient et de l'Asie au Musée royal de l'Ontario, qui a révisé l'exactitude du manuscrit.
Mme Anderson a prêté ses connaissances avec entrain en répondant aux questions les plus obscures
et a également apporté des conseils constants des plus précieux.

Un grand merci à Valerie Wyatt, mon éditrice, dont l'intelligence et la gaieté d'esprit ont permis
la progression harmonieuse de ce livre. Je tiens également à remercier Bill Slavin, splendide concepteur des Thibodeau,
et Julia Naimska pour le soin qu'elle a apporté à la conception du livre.

Mon amie et collègue écrivaine Deborah Hodge se montre, depuis des années, une lectrice avisée et appréciée
des manuscrits des Thibodeau. Je suis aussi très reconnaissante à Emily McLellan et Jeremie Lauck Stephenson,
premiers lecteurs « d'âge juste » de ce livre.

Grâce à leurs rires, leurs idées et leur soutien, les membres de ma famille m'ont apporté un milieu heureux,
propice à la créativité. Merci Bill, Lia et Tess. Mon amie Anna Koeller a fourni critiques et bons petits plats.
Finalement, je désire remercier M. Visch, mon professeur d'histoire au secondaire,
d'avoir rendu ses cours si amusants.

Données de catalogage avant publication (Canada)

Bailey, Linda, 1948-
    Aventures dans l'Égypte ancienne

(Agence prends ton temps)
Traduction de : Adventures in ancient Egypt.
ISBN 0-439-98542-0

1. Égypte – Histoire – Jusqu'à 332 av. J.-C. – Ouvrages pour la jeunesse.
2. Égypte – Civilisation – Jusqu'à 332 av. J.-C. – Ouvrages pour la jeunesse.
3. Égypte – Mœurs et coutumes – Jusqu'à 332 av. J.-C. – Ouvrages pour la
jeunesse. I. Slavin, Bill. II. Becquet, Martine. III. Titre. IV. Collection : Bailey,
Linda, 1948-   . Agence prends ton temps.

DT83.B3414 2000   j932'.01   C00-930985-3

AVENTURES DANS L'ÉGYPTE ANCIENNE

Aventures? Bah! C'est une corvée.

C'est étouffant!

C'est... amusant!

Texte de Linda Bailey

Illustrations de Bill Slavin

Texte français de Martine Becquet

Les éditions Scholastic

Les jumeaux Thibodeau s'ennuient. Ils s'ennuient terriblement, horriblement, à en mourir.

Tous leurs amis sont partis en vacances dans des lieux de rêve : Disneyland, les Rocheuses, en camp de plongée sous-marine. Justin et Emma, eux, ne font que le tour de leur quartier... encore... et encore... accompagnés de leur petite sœur Léa, dont ils doivent s'occuper.

Ils pressent le pas chaque fois qu'ils passent devant l'Agence *Prends ton temps*... rien d'étonnant! L'agence est sombre et sinistre. Elle est repoussante, répugnante, rebutante. Des toiles d'araignées aussi grandes que des filets de pêche pendent du plafond.

Les Thibodeau passent donc toujours devant à toute vitesse... jusqu'au jour où Léa y entre en courant.

Arrête-la Justin!

Non Léa!

PR

5

Julien T. Petitjean, le propriétaire, lève les yeux et les regarde entrer. Il a l'air aussi bizarre que son agence.

Des clients? Hummm...

Si ça ne tenait qu'à Emma, les Thibodeau seraient sortis de l'agence sur-le-champ. Mais Léa, comme d'habitude, complique les choses.

Plus Emma découvre l'agence de voyage, plus elle écoute Julien T. Petitjean... et plus elle est mal à l'aise.

Bien qu'elle n'ait jamais vu le vieux livre de M. Petitjean auparavant, Emma en éprouve un sentiment étrange – si étrange qu'elle essaie d'empêcher son frère de l'ouvrir. Elle y arrive *presque*.

NON! Justin!

Guide personnel à destination de L'ÉGYPTE ANCIENNE

Ouvrez ce livre et votre voyage commencera. Lisez chaque mot et votre voyage se terminera...

Mais « presque » ne suffit pas. Un éclair terrifiant et étonnant en jaillit, et...

Prenez votre temps!

... en un instant, tout change!

Mais... Où sommes-nous?

Oh! ça alors...

JULIEN T. PETITJEAN
GUIDE PERSONNEL À DESTINATION DE L'ÉGYPTE ANCIENNE

BIENVENUE dans l'Égypte ancienne! Toutes nos félicitations pour ce choix de lieu de vacances chaud et ensoleillé, et pour cette époque extraordinaire située vers 2500 avant J.-C.

Avez-vous apporté un parapluie? Si oui, vous pouvez tout de suite vous en débarrasser. Il ne pleut presque jamais dans l'Égypte ancienne. Ici, la plupart des terres sont des déserts. La seule raison pour laquelle les terres ne sont pas toutes désertiques, c'est le Nil.

Ah... le Nil! Quel fleuve magnifique! Pourquoi? Parce que sans le Nil, rien dans l'Égypte ancienne ne serait possible. Des montagnes de l'Afrique, il s'élance vers le nord, traversant le désert jusqu'à la mer tout en répandant la vie le long de ses rives.

Il suffit de quelques secondes à Emma pour réaliser ce qui vient de se passer : les Thibodeau ont remonté le temps.

L'Égypte ancienne. Justin! C'est écrit ici!

Après avoir bien étudié le Guide, Emma se rend compte... qu'ils sont prisonniers! Ils ne pourront rentrer chez eux que lorsqu'ils auront lu tous les mots du *Guide personnel à destination de l'Égypte ancienne* de M. Petitjean.

Ben, on voulait partir en vacances!

Oui, mais pas à 4 500 ans de chez nous!

Pour avoir une bonne idée de la grandeur de l'Égypte ancienne, imaginez une oasis de 1 000 km de long et de quelques kilomètres de large. Regardez sur la carte, c'est la longue et étroite bande verte.

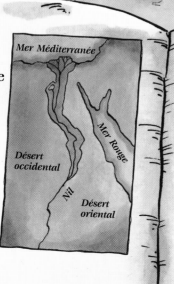

Mer Méditerranée

Désert occidental

Mer Rouge

Nil

Désert oriental

Vous avez de la chance d'être arrivé à la saison des crues. Une fois par an, de juillet à novembre, le Nil déborde et envahit les champs voisins. Ce phénomène s'appelle une « inondation ». Les gens, ici, adorent les inondations. Ça se comprend, car lorsque le fleuve se retire, il dépose une épaisse couche de boue fertile qui permet de cultiver toutes sortes de choses.

Entre-temps, le paysage peut être un peu... disons... humide.

Patauger dans les eaux boueuses du Nil ne va mener les Thibodeau nulle part. Ils se dirigent donc vers les terres plus hautes et vers leurs premiers vrais Égyptiens vivants.

Du moins les Thibodeau *espèrent* qu'ils sont vivants.

Elle n'a pas l'air d'avoir 4 500 ans!

Je m'appelle Aneksi. Bienvenue chez moi.

L'HABITAT CHEZ LES ANCIENS ÉGYPTIENS

Si vous désirez voir une habitation égyptienne typique, rendez visite à une famille de paysans. La plupart des anciens Égyptiens sont paysans-fermiers. Ils vivent dans de petits villages le long du Nil et cultivent le sol riche et noir délaissé par les crues du Nil. Ils construisent leurs maisons sur les terres les plus élevées, hors d'atteinte des inondations.

Il est facile de construire une maison dans l'Égypte ancienne. Même vous, vous pourriez y arriver. Il suffit d'avoir de la boue et ça, ça ne manque pas! Mélangez-la à de la paille que vous mettez dans des moules. Laissez-les cuire au soleil et... voilà, des briques! Les Égyptiens empilent ces briques pour monter leurs maisons. Les toits plats servent d'espace habitable supplémentaire. Les fenêtres sont hautes et étroites pour ne pas laisser entrer la chaleur. De nombreuses maisons sont peintes à la chaux, à l'intérieur comme à l'extérieur.

Les maisons des gens ordinaires sont petites et peu meublées : quelques tabourets ou des tables basses et des tapis. Le bois est rare ici, les meubles en bois sont donc très chers.

Aneksi est non seulement bien vivante, elle est aussi très sympathique. Les Thibodeau se détendent. Ils acceptent même de prendre des rafraîchissements chez elle.

C'est quoi ce truc? C'est plein de grumeaux!

Encore, s'il vous plaît.

Ho, ho! C'est de la bière.

LA NOURRITURE ET LES BOISSONS

Ici, le pain est la nourriture principale. Attention, il peut contenir du sable et d'autres impuretés. En effet, pour faire la farine, les grains sont broyés entre deux roches plates desquelles se détachent parfois de petits bouts de pierre. De nombreux Égyptiens se sont usé les dents à force de mastiquer du sable.

Vous préférez peut-être goûter à de délicieux fruits frais? Des figues peut-être! Des raisins, des dates, des grenades, cueillis localement.

Essayez la boisson nationale pour vous rafraîchir : la bière! Elle est fabriquée à partir de pain à moitié cuit et d'eau puisée du fleuve. Épaisse, sombre et parfois un peu granuleuse, il faut bien la filtrer avant de la servir, mais certains ne le font pas.

LES VÊTEMENTS ÉGYPTIENS

Ici, puisqu'il fait très chaud, l'habillement est simple. Les vêtements sont presque toujours blancs et faits en lin. Les hommes portent des pagnes (jupes courtes), les femmes de simples robes droites. Les jeunes enfants mettent... très peu de choses. Ici, les gens marchent généralement pieds nus; ils portent parfois des sandales, s'ils en possèdent.

Au moment où Emma essaie d'expliquer poliment qu'ils ne boivent pas de bière, un groupe d'hommes à l'air très officiel pénètre dans la pièce. Ils sont venus chercher le frère d'Aneksi, Hapou, pour qu'il aille travailler pour le roi.

Hapou est absent, mais Justin, lui, est là! Il essaie d'expliquer qu'il n'est pas celui qu'ils recherchent...

LA SOCIÉTÉ DE L'ÉGYPTE ANCIENNE

Si vous deviez choisir une profession dans l'Égypte ancienne, choisissez celle de roi (pharaon). Il est propriétaire de toutes les terres et de tout ce qui s'y trouve. C'est aussi lui qui dirige le pays. Tout le monde suit ses ordres sans les questionner. Pour les anciens Égyptiens, il n'est pas seulement roi, il est un dieu vivant! Ici, on croit qu'il est le fils de Rê, le dieu du Soleil, et qu'il peut s'adresser directement aux dieux pour leur demander d'envoyer de grosses inondations et de bonnes récoltes.

En Égypte, d'autres tâches ne sont pas aussi agréables que celles de pharaon. Sous lui, on trouve les nobles et les hauts dignitaires qui l'aident à diriger le pays; viennent ensuite les prêtres et les scribes que l'on respecte, car ils savent lire et écrire. Plus bas, on trouve les artisans; et tout en bas de l'échelle sociale viennent les fermiers et les ouvriers. La plupart des anciens Égyptiens appartiennent à la couche la plus basse de la société, là où la place ne manque pas!

14

... mais les fonctionnaires ne veulent rien entendre. Ils engouffrent Justin dans un bateau avec beaucoup d'autres jeunes gens. Emma et Léa regardent leur frère disparaître lentement sur le Nil, sans pouvoir l'aider.

La Corvée

Si le pharaon décide de réaliser de grands travaux pour lesquels il faut de nombreux travailleurs, il peut recruter qui il veut. Il aime particulièrement faire appel aux fermiers. Ce travail forcé s'appelle la « corvée ». La plupart du temps, la corvée a lieu lors des crues quand les champs sont inondés et que la majorité des fermiers ne font pas grand chose, de toute façon.

Attention : si vous êtes un homme bien portant, nous vous conseillons de disparaître pendant la corvée. Sinon, vous pouvez être enrôlé pour travailler pour le pharaon.

Emma en est malade. Justin n'est pas parfait, c'est certain, mais c'est son seul et unique frère jumeau! Avec Léa, elle s'élance sur ses traces. Elles arrivent dans une ville animée située le long du Nil. Emma est sûre qu'elles y trouveront Justin.

On le trouvera, même s'il faut mettre cette ville sens dessus dessous!

Trouver Justin, trouver Justin, trouver...

Pendant plusieurs heures, les deux fillettes cherchent leur frère d'un bout à l'autre de la ville. Elles tapent aux portes, arrêtent les passants et posent des questions aux artisans qui vendent leurs produits.

Justin?

Il a des yeux bruns et... non merci, j'ai déjà des sandales à la maison!

UNE VILLE ÉGYPTIENNE

Essayez de passer au moins une partie de vos vacances dans une des grandes villes du bord du Nil. Ce sont des centres de commerce et d'affaires gouvernementales, et des lieux idéals pour regarder vivre les gens. Les rues, particulièrement celles des quartiers pauvres, sont étroites et bondées de monde. Si vous désirez faire des achats, adressez-vous aux artisans qui vendent des poteries, des sandales, des tapis en vannerie et autres produits.

Vous sentez de mauvaises odeurs? N'y prêtez pas attention. On ne ramasse pas les ordures ici et il n'y a pas d'égout non plus, alors... avec la chaleur...

Dans un temple, elles s'adressent à un prêtre.

Il est grand comme ça...

Allez! Dehors!

LES TEMPLES ET LES DIEUX

Les temples religieux sont calmes et paisibles, mais n'espérez pas y être invité. Un temple égyptien est comparable à un palace privé qui serait habité par un dieu. Le dieu est représenté par une statue conservée dans un tombeau à l'intérieur. La statue est lavée, habillée et même nourrie par les prêtres. Elle ne *mange* pas vraiment, bien sûr. (Heureusement, les prêtres, eux, ont bon appétit!)

Les anciens Égyptiens vénèrent des centaines de dieux différents qui n'ont pas tous des temples imposants. Certains dieux sont adorés seulement dans quelques régions du pays. D'autres sont des dieux domestiques vénérés pour résoudre les problèmes quotidiens. De nombreux dieux égyptiens sont représentés sous la forme d'un animal : crocodile, faucon, lion, hippopotame, etc.

Pendant de longues heures, Emma et Léa continuent leur recherche sous la chaleur accablante du soleil. À la fin de la journée, les fillettes sont fatiguées, affamées et meurent de soif.

Puisqu'on leur offre de les nourrir et de les loger, en échange de leurs services, les fillettes sont bien obligées d'accepter. Une famille aisée qui donne une réception manque de serviteurs. Emma est un peu choquée par les divertissements...

Eh! Regarde-moi Emma!

C'est la dernière fois que je l'emmène avec moi!

UN BANQUET

Si vous rencontrez de riches Égyptiens, vous serez probablement invité à un banquet. Ne soyez pas timide. Mettez un collier de fleurs et joignez-vous à la fête!

La nourriture est superbe! On sert des oies rôties, du canard et des cailles accompagnés de légumes frais : oignons, poireaux, haricots, laitues, et concombres. Et vous avez de la chance, il y a du bœuf au menu! Seuls les gens riches peuvent se permettre un tel luxe. Si vous aimez les desserts, goûtez aux gâteaux au miel, aux figues ou aux fruits frais. La plupart des invités boivent du vin avec leur repas, parfois même un peu trop.

N'oubliez pas vos bonnes manières. Accroupissez-vous ou asseyez-vous à la table. Joignez-vous aux hommes si vous en êtes un, ou aux femmes si c'est votre cas. Mangez avec vos doigts, MAIS PAS TOUS! Utilisez seulement trois doigts de la main droite.

Les spectacles sont de loin les meilleurs moments d'un banquet. Les anciens Égyptiens adorent la musique. Ne vous gênez pas, tapez des mains au rythme des flûtes, harpes, tambours, sistres et... des danseuses! Elles se contorsionnent comme des gymnastes et font même des pirouettes. (Elles sont peut-être aidées par le fait qu'elles sont très légèrement vêtues.)

Après le repas, essayez de jouer au senet. Ce jeu de société tranquille est très populaire ici.

Les jours suivants, Emma et Léa continuent à travailler pour la famille égyptienne, tout en passant leur temps libre à chercher Justin. Lorsqu'un des serviteurs leur parle d'un enseignant qui « connaît beaucoup de choses », elles décident de lui rendre visite dans son école.

L-É-A. Léa!

?

C'est vrai. Je sais beaucoup de choses.

Malheureusement, l'enseignant n'a pas de réponse à la question qui préoccupe le plus Emma et Léa.

... et après le grand pharaon Djéser, Keme Sekhemkhet et Khaba, suivis du long règne du pharaon Houni et...

Où est le bouton d'arrêt?

C-H-A-T Chat!

?

Emma est particulièrement mal à l'aise lorsque l'enseignant aperçoit le Guide et désire l'examiner. Mais elle le distrait vite en lui posant des questions sur son propre livre.

C'est un livre ça?

… et pendant le règne du grand pharaon Snéfrou, lors de la saison des crues…

É-J-I-P-T-Égypte!

Au secours?

Mroup?

L'ENSEIGNEMENT ET LES ÉCOLES

La plupart de l'enseignement se fait à la maison. Les garçons apprennent le même métier que leur père : la pêche, l'agriculture, l'artisanat, etc. Les mères enseignent à leurs filles comment s'occuper de la maison.

On enseigne à certains garçons (ainsi qu'à quelques filles très privilégiées) la lecture, l'écriture et l'arithmétique dans de petites écoles. Attention : si vous visitez une école, prenez garde à l'enseignant, surtout s'il tient un gros bâton! Selon un ancien proverbe égyptien : « Les oreilles d'un garçon sont sur son dos. Il écoute mieux s'il est battu. »

Les garçons très studieux peuvent devenir scribes (hommes formés pour écrire des lettres, noter des renseignements et aider à gouverner). Les scribes peuvent devenir prêtre ou officier dans l'armée… ou même premier ministre. C'est un grand honneur que d'être scribe et c'est plus facile que de cultiver la terre en plein soleil!

Voudriez-vous apprendre l'alphabet de l'Égypte ancienne puisque vous êtes ici? Ça ne devrait pas être très difficile. Et bien… au contraire, c'est… très difficile. C'est une écriture dessinée qui compte plus de 700 symboles : les hiéroglyphes.

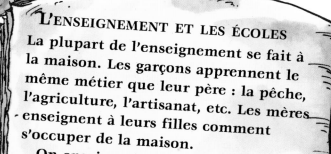

Pour essayer, il faut une tige de roseau et de l'encre faite à partir de suie. Entraînez-vous sur des tessons de poterie (ostroca). Beaucoup trop précieux pour être gaspillés par les élèves, les rouleaux de papier (papyrus) sont fabriqués à partir de fines lamelles de tiges de papyrus pilées.

Le temps passe et toujours pas de nouvelles de Justin. Emma est de plus en plus inquiète. La nuit, elle est angoissée et n'arrive pas à dormir.

Comment est-ce que je vais expliquer ça à papa et maman?

Elle s'inquiète aussi pendant la journée... la plupart du temps à cause de sa sœur qu'elle doit empêcher de faire des bêtises!

LÉ-AAA! Qu'est-ce que tu FAIS?

DORMIR DANS L'ÉGYPTE ANCIENNE

Les riches Égyptiens dorment sur des lits en bois. Les gens plus pauvres dorment sur des tapis ou sur des plates-formes d'argile recouvertes de nattes. Pour combattre la chaleur, vous pourriez vous allonger à l'égyptienne : sur le toit. Aaaah... sentez-vous cette brise? Très rafraîchissante!

Vous cherchez un oreiller? Essayez plutôt un chevet égyptien. Ils sont faits en bois, en ivoire ou en pierre et ont l'air de vrais instruments de torture. Ils peuvent toutefois être utiles pour surélever votre tête du sol, surtout lorsque des scorpions ou des serpents se promènent.

LE MAQUILLAGE ET LES BIJOUX

Si vous désirez soigner votre apparence en Égypte, essayez le maquillage. Commencez par souligner vos yeux de khôl noir et de fard vert. Teignez vos ongles au henné, enduisez-vous d'huiles parfumées. (Dans l'Égypte ancienne, il est important de sentir bon.)

Mettez ensuite des bijoux, des perles de couleur ou peut-être un bracelet ou une amulette (porte-bonheur) en or ou en argent, pour éloigner les mauvais esprits. Complétez votre nouvelle image par une perruque. Ici, les gens ont les cheveux courts et portent des perruques pour les grandes occasions. Voilà, vous êtes magnifique!

Léa se lie vite d'amitié avec les enfants du quartier. Elle s'adapte très bien à la vie égyptienne. Un peu trop bien aux yeux d'Emma.

Rhabille-toi Léa!

Pourquoooooi?

Un jour, Léa et ses nouveaux amis partent nager dans la rivière. Emma est soulagée... jusqu'à ce qu'elle lise la page suivante du Guide de M. Petitjean.

Des crocodiles? Dans le Nil? Oh, c'est pas vrai... Léa!

LES ENFANTS ÉGYPTIENS

Les jeunes enfants de l'Égypte ancienne portent très peu de vêtements. À dire vrai... aucun. Après tout, il fait très chaud. Vous noterez que les garçonnets ont une coiffure originale. C'est une « mèche de l'enfance » qu'ils portent jusqu'à l'âge de dix à douze ans.

Les enfants égyptiens jouent avec de simples poupées, toupies et jouets en bois faits à la main. Ils adorent organiser des batailles, tirer à la corde et jouer à la balle. Ils aiment aussi nager dans le Nil, très proche. C'est dommage qu'il y ait tant de crocodiles. Mais ne vous en faites pas... ils mangent *peu* d'enfants.

23

Courant aussi vite qu'elle le peut, Emma arrive juste à temps pour attraper sa petite sœur avant qu'elle ne soit happée par les dents de la mort.

Tiens, mon grand.

LÉ-AAAAAA! NOOON!

Épuisée, Emma s'écroule sur la rive. C'est là qu'elle remarque… les bateaux.

Peut-être que quelqu'un ici l'a vu!

Justin?

LA CHASSE ET LA PÊCHE

Le Nil est plein de nourriture – si vous pouvez l'attraper! Essayez de pêcher à la lance, au filet, à l'hameçon et à la ligne. Ou bien chassez le gibier d'eau qui vit dans les marécages : canards, oies, hérons et grues. Les anciens Égyptiens attrapent ces oiseaux au filet, ou en lançant des bâtons qui les font tomber.

Si vous désirez mettre votre vie en péril, vous pouvez essayer de chasser l'hippopotame. Montez à bord d'un radeau avec d'autres chasseurs, approchez-vous sans bruit de l'énorme bête et attaquez-la à la lance. Sachez que l'hippopotame ne va pas du tout apprécier!

Réflexion faite, évitez la chasse à l'hippopotame!

Marchant le long de la rive, les fillettes apprennent enfin une bonne nouvelle. Des hommes qui construisent un radeau en papyrus ont vu Justin, deux jours auparavant.

Il se plaint beaucoup hein?

Descendez le fleuve, jusqu'au chantier.

Il restait tout de même un problème à régler : comment descendre le Nil? En observant les hommes, Emma a une idée. Pourquoi ne pas construire un radeau avec Léa?

Bien sûr.

Titanic

Est-ce qu'il va flotter, Emma?

VOYAGER SUR LE NIL

Le Nil, c'est l'autoroute de l'Égypte. Il vous suffit d'un bateau! Pour aller vers le nord, vous n'avez qu'à suivre le courant. Pour vous rendre au sud, utilisez une voile et laissez le vent vous pousser. (Les rames et les perches sont aussi très utiles.) Prenez garde aux autres embarcations, bateaux de pêche, de commerce, de plaisance et aux énormes barques. Les radeaux faits en tiges de papyrus sont de loin les plus courants.

COMMENT CONSTRUIRE UN BATEAU EN PAPYRUS?

Coupez des tiges de papyrus. (Ils poussent le long du fleuve.) Liez-les en bottes, puis attachez-les solidement, sinon la construction ne sera pas étanche. Enfin, ramenez les extrémités vers le haut. Vous êtes prêt? Alors, allez-y!

(P.S. Vous savez nager, n'est-ce pas?)

Hummm. C'est un début.

C'est mieux.

Bravo!

LES PYRAMIDES

S'il y a une chose à voir dans l'Égypte ancienne, ce sont les pyramides.

Elles sont énormes! Elles sont spectaculaires! Et elles n'ont qu'une seule utilité : servir de tombeau aux pharaons. Les anciens Égyptiens croient que le pharaon vit après la mort. Il ne peut le faire que si son âme (ba) et sa force de vie (ka) peuvent retourner dans sa dépouille, si nécessaire. C'est pourquoi, à la mort du pharaon, son corps est préservé dans les mêmes conditions que lorsqu'il était vivant, avant d'être placé dans une chambre mortuaire à l'intérieur d'une pyramide ou dessous.

Il a fallu plusieurs générations aux Égyptiens pour maîtriser la construction des pyramides.

Ils ont tout d'abord déposé le corps du pharaon dans un mastaba (un rectangle fait de briques de boue, qui abrite une chambre mortuaire).

Puis, ils ont entassé des mastabas pour faire une pyramide à degrés, composée de six degrés (étages).

Pendant ce temps, plus bas au bord du Nil, on a donné un gros travail à Justin. En fait, de mémoire de Thibodeau, aucun membre de la famille n'a jamais eu à accomplir une si grosse tâche.

Eh, M. Petitjean! Arrêtez de blaguer. J'peux rentrer chez moi maintenant?

Après, il y a eu la pyramide rhomboïdale. Elle était *presque* parfaite.

Finalement... la perfection! La vraie forme pyramidale.

Puis, les Égyptiens ont décidé de construire des pyramides vraiment énormes. Le croirez-vous, aussi hautes qu'un gratte-ciel de 40 étages. Le croirez-vous, plus de deux millions de blocs en pierre. Le croirez-vous, plus de six millions de tonnes de pierres.

C'est pas mal grand, non? Imaginez construire une masse aussi énorme sans machine. Pas de bulldozers, ni de grues, ni de roues – rien que des muscles! Il faut des milliers d'ouvriers pour accomplir le travail, plus de 4 000 toute l'année et 20 000 ou 30 000 supplémentaires lors de la saison des crues. Même avec l'aide de tous ces ouvriers, la construction d'une pyramide peut prendre 20 ans ou plus.

En fait, qu'est-ce que ça veut dire? Et bien, si vous vous êtes porté « bénévole » vous risquez de rester sur le chantier *très* longtemps.

COMMENT CONSTRUIRE UNE PYRAMIDE
(Juste au cas où vous seriez chargé du chantier)

1. Choisissez un bon endroit, sur la rive ouest du Nil, au-dessus de la ligne des crues et non loin d'un dépôt important de calcaire.

2. Nivelez le terrain. Puis marquez les quatre coins de la pyramide pour qu'elle soit face au nord, sud, est et ouest.

3. Extrayez le calcaire. Taillez de larges blocs en utilisant de simples outils en cuivre, en bois ou en pierre.

4. Transportez les blocs jusqu'au site choisi. (Avertissement : c'est l'étape la plus difficile.) Attachez-les avec des cordes et tirez-les sur des traîneaux. Utilisez des rondins, de l'eau ou de l'huile pour les faire glisser le long du chemin. (Les blocs qui viennent de loin doivent être tirés jusqu'au fleuve, embarqués pour descendre le Nil, puis traînés jusqu'au chantier.)

5. Construisez la pyramide. (Avertissement : c'est vraiment l'étape la plus difficile.) Après avoir construit la base en pierre, il faut ériger des rampes pour pouvoir monter les gros blocs!

6. Continuez à construire, construire, construire, construire.

7. Oups! Avez-vous pensé à creuser une chambre mortuaire sous la pyramide? Avez-vous construit une galerie pour s'y rendre?

8. Placez un bloc de pierre en forme de pyramide au sommet, un pyramidion.

9. Lissez et polissez le calcaire à l'extérieur pour que la pyramide miroite sous le soleil.

10. Enlevez les rampes. Ouah! n'est-ce pas merveilleux? Êtes-vous fier de vous?

Comme tous les autres ouvriers, Justin est payé pour son travail. Mais, il n'est pas très impressionné par son salaire.

Il se plaint auprès de ses collègues de travail qui ne sont pas très compréhensifs.

Des oignons? Je me crève à la tâche pour des oignons?

C'est notre devoir de construire le tombeau du pharaon.

Il s'occupera de nous dans l'au-delà.

On est l'équipe des durs!

Pitié!

CONSEILS POUR LES OUVRIERS SUR LES CHANTIERS DE CONSTRUCTION DE PYRAMIDES

- Attention aux coups de chaleur!
- Attention aux insectes!
- Attention aux coups de soleil!
- Évitez les brûlures causées par les cordes!
- Buvez beaucoup d'eau!

- Essayez de ne pas vous faire écraser!
- Ne tombez pas de la pyramide!
- SOYEZ PRUDENT!

Ouf! Si vous arrivez à la fin de la journée, vous pouvez aller chercher votre paye : du pain, de la bière, des oignons et des vêtements! Faites-en bon usage!

Heureusement, on va bientôt lui venir en aide. Ce soir-là, alors que les travailleurs sont endormis, Emma et Léa pénètrent silencieusement dans leur dortoir. Du moins c'est leur plan.

JUSTIN! HÉ! RÉVEILLE-TOI, JUSTIN!

Les Thibodeau sont si contents de se retrouver qu'ils en restent sans voix.

Ils se précipitent vers le radeau en papyrus que les fillettes ont caché dans les roseaux. Ils sont presque arrivés à leur but, lorsque Léa aperçoit une pyramide ouverte.

Léa, non!

Arrête-la Justin!

Faire du tourisme au beau milieu d'une évasion, voilà une bien mauvaise idée. Emma et Justin essaient de faire sortir leur petite sœur de la pyramide.

Hoé Léa, voudrais-tu une bonne figue bien juteuse?

Si tu veux, je vais te porter sur mon dos, Léa.

LA VILLE DES MORTS

Vous vous êtes sans doute déjà rendu compte qu'une pyramide n'est pas seule dans le désert. Bien au contraire, elle est entourée d'un complexe pyramidal qui comprend :

1. le temple de la vallée où l'on reçoit la dépouille du pharaon transportée par bateau
2. la chaussée (voie pavée) située entre le temple de la vallée et le temple mortuaire
3. le temple mortuaire où l'on procède au service funéraire et où l'on fait les offrandes de nourriture et autres

4. le mur d'enceinte qui entoure la base de la pyramide
5. de petites pyramides réservées aux femmes du pharaon (parfois)
6. des rangées de mastabas, où les membres de la famille royale et les amis sont enterrés après leur mort

La pyramide principale, les petites pyramides et les mastabas sont des tombes qui composent la Ville des morts.

C'est un endroit intéressant à visiter pour un touriste comme vous... mais vous ne voudriez certainement pas y habiter!

Mais Léa a disparu. Emma et Justin doivent la suivre... dans un tunnel noir comme du charbon.

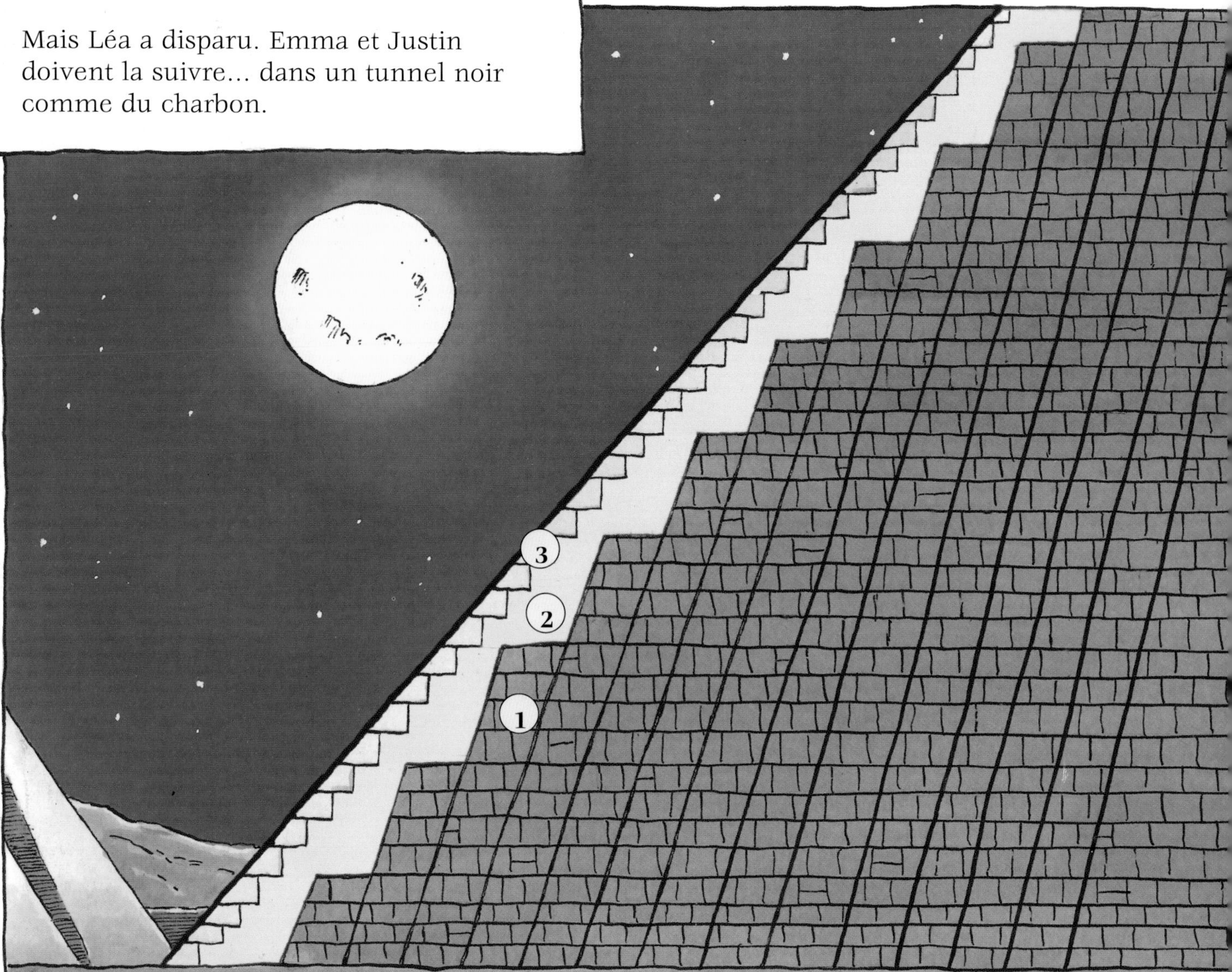

3

2

1

L'INTÉRIEUR D'UNE PYRAMIDE

Si vous pouviez voir la coupe transversale d'une pyramide, vous découvririez qu'elle est composée uniquement (ou presque) de blocs de pierre, dont :

1. les blocs principaux internes. Ils sont en calcaire ordinaire et puisqu'ils sont cachés, ils n'ont pas besoin d'être parfaitement assemblés

2. les blocs de remblai posés sur les blocs principaux

3. les blocs de revêtement, en calcaire blanc de qualité. Leur assemblage est si précis qu'on ne pourrait même pas glisser un cheveu entre les jointures

4. l'entrée de la pyramide sur la face nord

5. une galerie qui relie l'entrée et la chambre funéraire

6. la chambre funéraire où l'on place le corps du pharaon. Il s'agit parfois d'une chambre souterraine ou parfois d'une pièce construite en hauteur. Outre le corps du pharaon, elle contient les biens dont il aura besoin dans l'au-delà, un riche trésor composé de bijoux, d'or, de meubles, de vêtements, d'huiles parfumées, de jeux, etc.

Avez-vous noté les mots « riche trésor »? Les pharaons tiennent à emporter leurs richesses au-delà de leur mort. Parce qu'elles contiennent tant de richesses, les tombes sont des cibles tentantes pour les voleurs. Les concepteurs de pyramides le savent. Aussi, ils essaient de leur mieux de duper les pilleurs de tombes en cachant l'entrée, en bloquant les galeries avec de lourdes dalles, ou en construisant de fausses chambres funéraires.

Mais ça n'y fait pas grand chose. Un pilleur de tombes obstiné trouvera toujours un moyen d'atteindre son but.

Les Thibodeau sont rassurés lorsqu'ils débouchent enfin dans une pièce... jusqu'à ce qu'ils réalisent où ils sont.

Justin, c'est une tombe.

Alors ça, ça doit être...?

COMMENT PRÉPARER UNE MOMIE

Les anciens Égyptiens croient qu'il est important de préserver le corps d'une personne morte. Le procédé particulier utilisé s'appelle la « momification » et prend environ 70 jours. Une fois préparé, le corps s'appelle une momie.

Vous n'aurez probablement jamais l'occasion de préparer une momie, un travail réservé aux prêtres formés, mais au cas où, voilà comment faire :

1. Prenez un mort, de préférence un pharaon. Si vous n'avez pas de pharaon, d'autres corps peuvent faire l'affaire, voire même des faucons, des taureaux ou des crocodiles. Les anciens Égyptiens les momifient tous.

2. (Attention : étape un peu dégoûtante.) Vous devez enlever le cerveau, berk! berk! Enfilez une sorte de crochet dans le nez, pouah! Retirez la cervelle petit à petit, hou!

Un gars
MORT!

3. Enlevez l'estomac, le foie, les poumons et les intestins. Mettez-les dans des vases réservés à cet effet.

4. Ne retirez pas le cœur. Les anciens Égyptiens croient que c'est la source de toutes les pensées et les émotions.

5. Recouvrez le corps d'une poudre asséchante appelée « natron » et laissez sécher pendant 40 jours environ.

6. La peau étant déshydratée et flasque, remplissez le corps de rembourrage (argile, paille, sciure, lin).

7. Enduisez le corps d'huiles et d'onguents parfumés.

8. Recouvrez le corps de bandelettes de lin imbibées de résine. Vous aurez besoin de centaines de mètres de bandelettes. Glissez bijoux, or et amulettes entre les bandelettes.

9. Une fois terminée, la momie est prête à être placée dans un sarcophage (cercueil en pierre), puis dans sa tombe où elle restera pour l'éternité... vraiment?

10. Prenez garde aux pilleurs de tombes!

Cette fois, les Thibodeau ont vraiment des ennuis. Quelques heures auparavant, des voleurs ont pillé la tombe. Aussi, les gardes du roi surgissent dans la pièce quelques minutes après l'arrivée des Thibodeau.

Une fois de plus, personne n'écoute les explications des Thibodeau.

Justin essaie de savoir ce qui va leur arriver.

Quelle est la punition d'un pilleur de tombes?

L'empalement.

Et moi qui croyais être en retenue!

LES PILLEURS DE TOMBES
Ici, il y a un groupe de personnes que vous devez éviter à tout prix. N'APPROCHEZ PAS DES PILLEURS DE TOMBES! N'APPROCHEZ PAS NON PLUS DES TOMBES NI DES PYRAMIDES OUVERTES! Ça ne vous attirera que des ennuis.

Comment savoir lorsqu'on est en présence d'un pilleur de tombes? Voici quelques indices. Tout chasseur de trésor avide peut essayer de voler une tombe, mais certains ont plus de chance. Par exemple, les gens qui aident à la construction d'une pyramide (et connaissent les passages secrets, etc.) peuvent y retourner pour la piller. Les gardes des pyramides laissent parfois entrer leurs amis voleurs, moyennant un prix. Même les fonctionnaires des temples peuvent être tentés de voler les richesses d'une pyramide.

Donc, ouvrez l'œil et éloignez-vous de toute personne ressemblant à un pilleur de tombes. Rappel : la punition pour vol est sévère dans l'Égypte ancienne. Vous pourriez être empalé sur un pieu. Si vous ne savez pas ce que ça veut dire, laissez-moi vous expliquer : ILS VOUS JETTERONT SUR UN PIEU POINTU!
Tenez-vous le pour dit.

À l'entrée de la pyramide, les enfants tombent sur un autre groupe de gardes qui essaient d'y entrer. Les Thibodeau profitent alors de l'occasion!

Échappez-vous!

Ils ne s'arrêtent de courir qu'une fois arrivés au radeau.

Vite, Justin!

Vous êtes sûres que ce truc flotte?

Malheureusement, les Thibodeau ne sont pas les seuls à avoir passé la nuit sur un bateau. Les gardes sont arrivés en ville avant eux!

Par ici, Justin!

Attrapez-les!

Lire en courant n'est normalement pas une bonne idée... à moins que votre vie n'en dépende!

Les yeux d'Emma parcourent les pages aussi vite qu'elle parcourt du terrain. C'est beaucoup demander à une enfant. En fait, c'est trop.

Tiens Justin! Cours, cours!

Bon, Justin n'est pas le plus courageux des enfants de l'Égypte ancienne, ni le plus fort ni le plus intelligent. Mais, c'est un Thibodeau! Et s'il existe une qualité chez les Thibodeau... c'est la loyauté. En voyant sa sœur tomber, il s'arrête net!

Lève-toi Emma! Lève-toi!

Les Thibodeau courent aussi vite qu'ils le peuvent...

Lis, Justin, lis!

Au revoir

Et maintenant que vos vacances dans l'Égypte ancienne se terminent, vous êtes sans doute ému par le souvenir agréable des personnes fascinantes que vous avez rencontrées et les merveilles que vous avez vues.

Avant de partir, pourquoi ne pas vous promener une dernière fois dans la ville? Profitez-en pour faire vos emplettes de dernière minute. Ou encore, détendez-vous et passez un dernier moment à contempler paisiblement cette terre baignée de soleil. Fermez les yeux, réchauffez-vous sous les rayons du soleil... et respirez le parfum des fleurs. Le temps est maintenant venu de dire un dernier adieu aux journées douces et chaudes et aux nuits agréablement fraîches de cette civilisation légendaire. Une expérience qui vous marquera pour le restant de vos jours.

FIN

45

...rentrer chez eux!

F...in!

Content de vous voir! Avez-vous pris votre temps?

Justin est prêt à dire ses quatre vérités à M. Petitjean...

Tss! Tss!

Si on a pris notre temps? On a failli se faire tuer!

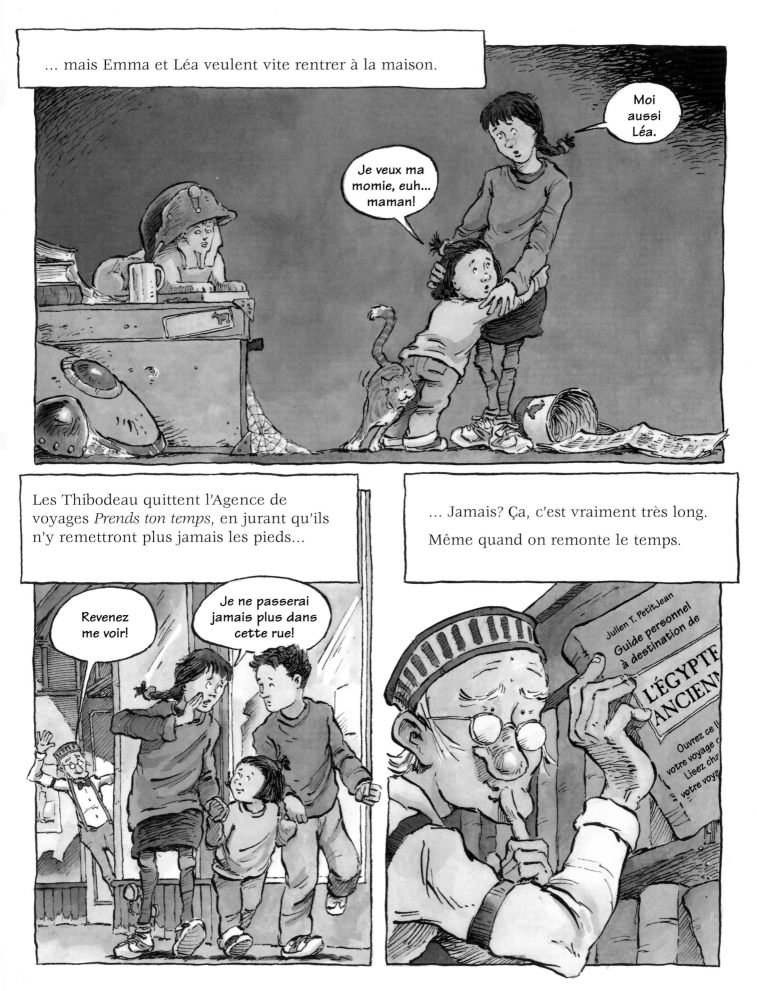

... mais Emma et Léa veulent vite rentrer à la maison.

Moi aussi Léa.

Je veux ma momie, euh... maman!

Les Thibodeau quittent l'Agence de voyages *Prends ton temps*, en jurant qu'ils n'y remettront plus jamais les pieds...

... Jamais? Ça, c'est vraiment très long.

Même quand on remonte le temps.

Revenez me voir!

Je ne passerai jamais plus dans cette rue!

Julien T. PetitJean
Guide personnel à destination de
L'ÉGYPTE ANCIENN

L'ÉGYPTE ANCIENNE

Réalité ou fiction?

Que croire des récits du livre *Aventures dans l'Égypte ancienne?*

Les enfants Thibodeau sont une invention, leurs aventures également. Donc, l'histoire des Thibodeau est simplement... une histoire.

Mais l'Égypte ancienne a bel et bien existé, avec des momies, des papyrus, des temples, des pyramides, et des... si vous voulez vraiment tout savoir, lisez le Guide! En effet, les renseignements présentés dans le *Guide personnel à destination de l'Égypte ancienne* de M. Petitjean sont basés sur des faits historiques réels.

Réalité sur l'Égypte ancienne

Mais ce pays était-il si ancien? Ah oui alors! La civilisation que nous appelons Égypte ancienne a commencé il y a plus de 5 000 ans (vers 3100 av. J.-C.) et a duré plus de 3 000 ans... Elle s'est développée dans la vallée du Nil en Afrique du Nord. Pourquoi dans cette région? Le Nil et le climat ensoleillé offraient un sol fertile, de l'eau à volonté et une voie de transport pratique. Les gens y travaillaient en collectivité pour cultiver la terre, installer des communautés et ériger des constructions imposantes ou complexes.

L'histoire des Thibodeau se passe vers 2500 av. J.-C., sous l'Ancien Empire. Trois importantes périodes marquent l'Égypte ancienne : l'Ancien Empire, le Moyen Empire et le Nouvel Empire. L'Ancien Empire (2686 – 2181 av. J.-C.) correspond à la période de construction des grandes pyramides, appelée aussi « l'Âge des pyramides ». On a également construit des pyramides sous le Moyen Empire, mais elles n'étaient pas d'aussi bonne qualité. Sous le Nouvel Empire, les Égyptiens enterraient les membres de la famille royale dans des tombes secrètes dans la Vallée des Rois.

Mais revenons à l'Ancien Empire. Personne ne sait exactement comment les pyramides ont été construites. Les experts sont presque certains que des rampes étaient utilisées, mais ils ne s'accordent ni sur

la manière, ni sur le type d'utilisation. Utilisait-on une rampe simple? Utilisait-on quatre rampes en spirale autour de la pyramide comme celle sur laquelle Justin a travaillé? Utilisait-on une combinaison d'une rampe simple et de rampes en spirale? Personne ne connaît la vraie réponse.

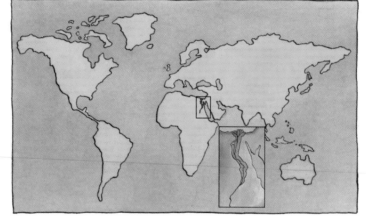

Personne ne connaît la réponse à de nombreuses questions que l'on se pose sur l'Égypte ancienne. Par exemple, lorsque les Thibodeau sont accusés de piller des tombes, ils sont menacés d'être empalés (jetés sur un pieu pointu). Il existe des preuves que l'empalement était utilisé comme punition plus tard dans l'Égypte ancienne, mais l'était-il sous l'Ancien Empire?

Les égyptologues (personnes qui étudient l'Égypte ancienne) continuent de découvrir cette ancienne culture.

Ainsi, des découvertes extraordinaires ont été faites. Une des plus importantes est la pierre de Rosette. Cette pierre plate comporte les mêmes renseignements en trois langues : hiéroglyphes de l'Égypte ancienne, une forme tardive d'écriture égyptienne et le grec ancien. Avant sa découverte, on ne pouvait pas déchiffrer les hiéroglyphes. La pierre de Rosette a permis de les décoder. Aussi, la découverte de cette pierre par un soldat français a-t-elle eu des répercussions stupéfiantes et...

Attendez un peu... C'est toute une autre histoire. Le temps continue sa course, mais les livres, eux, doivent avoir une fin.

Alors, au revoir, bon voyage et prenez votre temps!